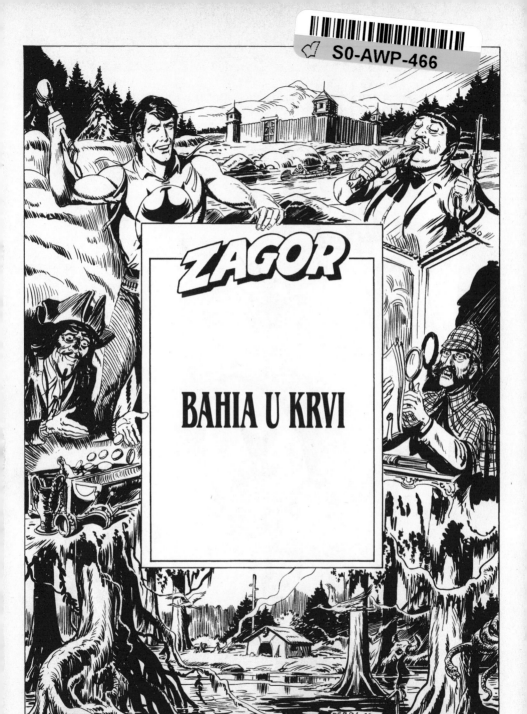

ZAGOR

BAHIA U KRVI

FERRI 65

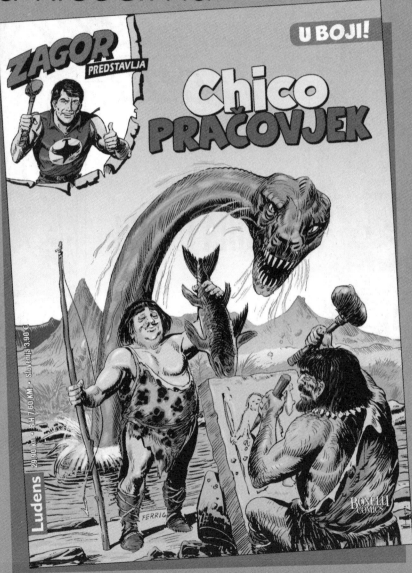

ZAGOR, STIGAVŠI U SRCE BRAZILA ZAJEDNO SA CHICOM, POMAŽE AMAZONKAMA DA POBJE-
GNU OD NEMILOSRDNOG BARRANCA KOJEGA PLAĆA BOGATI TRGOVAC KAUČUKOM DORIVAL.
DORIVAL IM SE ŽELI OSVETITI ZBOG OCA I BRATA KOJE SU TAJANSTVENE RATNICE UBILE PRIJE
MNOGO GODINA. MEĐU AMAZONKAMA, DUH SA SJEKIROM PRONALAZI I MARIE LAVEAU KOJA JE
ODUVIJEK PRIPADALA SESTRINSTVU ČIJE SPOZNAJE SEŽU SVE DO DAVNIH VREMENA IZGUBLJE-
NE ATLANTIDE. AMAZONKI JE OSTALO TEK NEKOLIKO, A NJIHOVA STARA BAZA JE RUŠEVNA I
UNIŠTENA. ZATO SE ČINI KAKO ĆE DORIVAL POBIJEDITI...

TEKST: BURATTINI
CRTEŽ: LAURENTI

U AMAZONSKOJ ŠUMI...

PROKLET-
STVO! BJE-
ŽIMO!

EVO IH!
PUCAJTE!

BANG

BANG

BANG

ZIP
ZIP
ZIP

DOVRAGA, PRIHVA-
TIO BIH BORBU DA
NE MORAM SPA-
ŠAVATI MARIE!

ULAZITE U VODU,
MEKUŠCI JEDNI!
OVDJE NEMA PI-
RANA.

!

SREĆOM,
BUDI SE.

OOH....?

JA... SPUSTI
ME, ZAGO-
RE! MOGU I
SAMA.

4

MORAMO PRONAĆI NEKA-KAV ZAKLON. NE MOŽEŠ TRČATI, A BARRANCOVI LJUDI SU NAM ZA VRATOM.

ZNAM KAMO.

ULAZ U PODZE-MNU BAZU JE U BLIZINI.

BEEP BEEP

OVUDA!

ZA MNOM!

MARIE IZVLAČI IZ KUGLI VIŠE INFORMACI-JA NEGO JA.

MOŽEŠ SIĆI SAMA?

MISLIM.

KAKO BILO, BRZO ĆEMO OTKRITI.

ENO IH!

SVIH MI DARKVUD-SKIH BUBNJEVA!

SIGURNA SI DA NI OVAJ TUNEL NIJE ZATVOREN?

TREBAO BI BITI S OBIJU STRANA KAKO BI SPRIJEČIO PROLAZ BRODIĆA. AKO JE SAMO S JEDNE STRANE PROLAZ OTVOREN, KUGLA ĆE POKAZATI ONAJ NAJBLIŽI.

NAKON TOGA, PRONAĆI ĆEMO PUT DO PODZEMNE BAZE... ODAKLE SMO KRENULI U POTRAGU ZA CHICOM I VAŠIM PRIJATELJEM SPRUCEOM.

NE OSTAJE NAM NEGO ČEKATI. NAJČEŠĆE JE DOVOLJNO TEK NEKOLIKO MINUTA. NARAVNO, AKO SE BAŠ SADA NIJE NEŠTO POKVARILO I PROMIJENILO.

TO NE BI BILO ČUDNO. OVO MJESTO SE DOSLOVNO URUŠAVA OD STAROSTI, A RIJEKA ŠTO TEČE IZNAD NAS SAMO ŠTO NIJE PROBILA PUT. POGLEDAJ GORE... NABOJ! NE OBEĆAVA NIŠTA DOBRO.

!

NA ŽALOST, IMAŠ PRAVO, ZAGORE. MISLIM DA NI CRYSTAL NIJE SVJESNA KOLIKO SE STANJE POGORŠALO. MORAMO JE UPOZORITI.

FFZZZZ

SVE POPUŠTA... SAMO ŠTO SE NE SRUŠI!

NE SVIĐA MI SE ŠTO SMO SE ZAVUKLI OVDJE GDJE MOŽEMO ZAVRŠITI KAO ŠTAKORI... A BARRANCO JE IZNAD NAS... UBOJICA KOJEMU ŽELIM NAPLATITI.

DA NISI OZLIJEĐENA I DA TE NE MORAM ODVESTI NA SIGURNO, BORIO BIH SE S NJIM U ŠUMI.

I AMAZONKE IMAJU RAČUN ZA NJEGA, NE ZABORAVI! ISPOSTAVIT ĆE MU GA ŠTO PRIJE BUDU MOGLE.

DOTLE...

BANG

TENG

UZALUD. METAL UOP-
ČE NE REAGIRA NA
METKE.

TREBA NAM
EKSPLOZIV.

NEMAMO GA. A DA GA ODEMO I NABA-
VITI... POD PRETPOSTAVKOM DA BI NAM
POMOGAO... POTRAJALO BI
NEKOLIKO DANA.

NEMA OTVORA.
DAKLE, POKLOPAC SE
NE OTVARA NIKAKVIM
KLJUČEM.

BEEEEP

ZZZ

ZATO
MOŽDA...

14

17

VOZILO JE SPREMNO ZA POLAZAK... JOŠ SAMO MALO...

NAPOKON!

IMAM JOŠ SAMO JE-DAN METAK I KANIM GA SMJESTITI GDJE TREBA.

MOŽE!

ODLIČNO.

BANG

CRASH

WOOOSSH

SMACK

BILO JE DOSTA!

UNGH!

KAKO SI? SVE U REDU?

D-DA...

WOOOSSSH

NEŠTO SE DOGAĐA IZA NAS!

SKALPOVA MU! VODA! EKSPLOZIJA JE OČITO RASPUKNULA STIJENKE TUNELA. NISAM ŽELIO DA SE TO DOGODI.

WHOOOSSSHHH!

VODA JE SIGURNO POBILA SVE NAŠE NEPRIJATELJE. ALI SADA ĆE POTOPITI I NAS.

BRŽE, MARIE!

NE MOŽE BRŽE!

WOOOSSSH

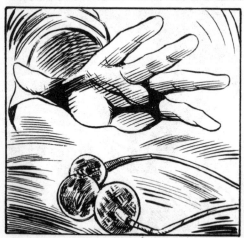

24

SVI SU MR-TVI. NITKO SE NIJE MOGAO SPASITI.

SAMO SAM SE JA SPASIO.

MORAM SE VRATITI DO MJESTA GDJE SMO OSTAVILI KANUE, NIZ RIJEKU, ZA DVA DANA BIT ĆU U LOGORU. A ONDA ĆU OR-GANIZIRATI NOVU EKSPEDICIJU.

SVA SREĆA, IMAM KUGLE AMAZONKI. PO-MOĆU NJIH PRONAĆI ĆU PROKLETE KUČKE BILO GDJE DA SE SAKRIJU.

?

BEEP
BEEP

NEEEEE!

NE BRINI SE, ZA-GORE! BILO ŠTO DA TE MUČILO, BILA JE SAMO NOĆNA MORA.

!

GDJE SAM?

U GRADU MOJIH SE-STARA ILI, AKO TI JE DRAŽE, U PODZE-MNOJ BAZI AMAZONKI.

SPASILE SU NAS I DOVE-LE OVAMO.

SJETIO SAM SE! VAL... DO-STIGAO JE NAŠE VOZI-LO...

DA... I GURNUO NAS NAPRIJED... DO PROŠIRE-NJA PUTA.

"SILINA VODE ODBACILA NAS JE NA NEKAKVU TERASU. ZAŠTITIO NAS JE ČVRSTI OKLOP VOZILA, NO U UDARU SMO IPAK IZGUBILI SVIJEST. SREĆOM, KUGLE SU OZNAČILE SE-STRAMA GDJE SE NALAZIMO."

I SVI NJEGOVI LJUDI SU MRTVI.

!

A CHICO? SPRUCE?

NJIH SU MOJE PRIJATELJICE VEĆ BILE IZVELE NA SIGURNO. ČEKAJU TE. USKORO ĆEŠ IH VIDJETI.

KOLIKO JE VREMENA PROŠLO OTKAKO...?

DVA DANA. U MEĐUVREMENU SI SE VIŠE PUTA BUDIO I VIŠE PUTA IZNOVA ZASPAO UZ POMOĆ TVARI KOJE SU TI VRATILE SNAGU.

STALNO SAM BILA UZ TEBE.

SJEĆAM SE SAMO KROZ MAGLU.

TO JE ZBOG SEDATIVA... ILI, MOŽDA, ZBOG MOG PRISUSTVA.

CRYSTAL!

DOŠLA SAM TI ZAHVALITI, ZAGORE. I OPROSTITI SE S TOBOM.

ODUŽIT ĆU TI SE POTREBNIM INFORMACIJAMA. ODGOVORIT ĆU NA SVA TVOJA PITANJA.

NO ODMAH NAKON TOGA, ISPRATIT ĆEMO TEBE I TVOJE PRIJATELJE DO ŠUME. SIGURNA SAM DA NIKOME NEĆETE REĆI ZA NAS... IONAKO BI BILO NEMOGUĆE PRONAĆI ULAZ U NAŠU PODZEMNU BAZU.

SUTRADAN...

U TOM SELU ŽIVE MI-
ROLJUBIVI INDIJANCI
KOJI DUGO VEĆ TR-
GUJU S BIJELCIMA.

LAKO ĆETE NAĆI NEKOGA
DA VAS OTPRATI DO MANAUSA,
A ODATLE ĆEŠ LAKO DOĆI DO
BAHIJE, GRADA U KOJI JE KRE-
NUO ČOVJEK KOJEGA
TRAŽIŠ.

AKO GA NE USPIJEŠ NAĆI, SADA
PO MOJIM INFORMACIJAMA
ZNAŠ KOJE JE NJEGOVO ODRE-
DIŠTE. ZAUSTAVI GA I ZA NAS!

TVOJ JE DOLAZAK BIO SPAS ZA SESTRE KOJE SU OSTALE U SVETOME GRADU NA KORDILJERIMA, A I ZA NAS KOJE SMO SIŠLE U DREVNU BAZU NAPUŠTENU NAKON VELIKE KATASTROFE.

KAKO BILO, SVI ZNAKOVI UPUĆUJU NA TO DA ĆEŠ IMATI UDJELA U BITKI KOJA ĆE PROMIJENITI SUDBINU SVIJETA.

BAŠ POPUT TEBE, A DRUKČIJE OD SANYE I OSTALIH MOJIH DRUŽICA NA ANDAMA, MI SMO RATNICE. OMOGUĆILE SMO TI NASTAVAK TVOJE MISIJE... I TO JE NAŠ NAČIN BORBE UZ TEBE.

HVALA, CRYSTAL.

A SAD POĐITE!

DOĐITE, SPRUCE!

MARIE...

AKO NAPOLA VJE-
ŠTICE POPUT TEBE
MOGU ČITATI BUDUĆ-
NOST... HOĆU LI TE
OPET VIDJETI?

NEKE ŠAMANICE VIDE
KROZ VEO VREMENA... ALI
NIKAD NE MOGU SPOZNATI
VLASTITU SUDBINU.

OSTAJEŠ OV-
DJE UZ RAT-
NICE?

DOK ONE BUDU
HTJELE. DOK IM BU-
DEM KORISNA ZA
CILJ ZA KOJI SU
ME POZVALE.

KOJI JE TO
CILJ? NIKAD
MI NISI RE-
KLA.

I TO SI MOGAO
SAM SHVATITI.

KAO ŠTO SE STARI STROJEVI KVA-
RE, TAKO NI AMAZONKE KOJE PO-
TJEČU OD DREVNOGA RODA NISU
VIŠE U STANJU IMATI DJECU.

CRYSTAL I MNOGE
DRUGE SU STERILNE.
NJIHOV JE ROD OSU-
ĐEN NA IZUMIRANJE.

!

I ZATO SU
TE...?

DA. ZATO SU, PU-
TEM KOJI NE MO-
ŽEŠ NI PRETPO-
STAVITI, POZVALE
MENE I MNOGE
DRUGE UPUĆE-
NICE U STARE
TAJNE.

NISU SVE MOGLE
NITI HTJELE PRI-
HVATITI POZIV. JA
JESAM.

DOŠLA SI AMAZONKAMA DATI DJECU?

KĆERI.

POKUŠAJ DA SE SPASI DREVNO NASLJEDE.

JA... MOGU TI SAMO POŽELJETI SREĆU, MARIE.

I JA TEBI, ZAGORE.

POĐI SAD! PRIDRUŽI SE PRIJATELJIMA!

DRUGDJE.

B-BAR-RANCO...

?

AAH!

MOJ TRBUH! PEČE KAO PAKAO!

B-BOLI, ZAR NE? JA SAM GODINAMA ŽIVIO UZ TU BOL. NO SADA JE JOŠ GORE... PUNO GORE.

T-TKO SI TI?

NETKO KOGA JAKO DOBRO POZNAJEŠ, BARRANCO... A NJEGOVA ĆE SUDBINA BITI I TVOJA.

?

MA ŠTO TO...?

PATIT ĆEŠ, A NEĆEŠ UMRIJETI... DUGO, JAKO DUGO.

I USKORO ĆE BITI TEŠKO RASPOZNATI TEBE OD TVOG PRIJATELJA DORIVALA.

NE! NEEEEE!

UNGH...

KRAJ EPIZODE

PROLOG

BRAZIL, DRŽAVA BAHIA.

40

KRAJ TRKE, IRMAO. (*)

!

(*) IRMAO: BRAT, PORTUGALSKI.

KRASH

CRACK

NISAM JA TVOJ BRAT, MALEK.

TO ZNAMO, YUSUFE. NISI TI NAŠ. MOŽDA SI ZATO IZDAO SVOJE LJUDE.

JA IZDAO? TO JE NAJGORA LAŽ KOJU SAM IKAD ČUO.

SMIRI SE, YU-SUFE! NEĆEŠ OSTATI ZAPAMĆEN KAO IZDAJICA NEGO KAO JUNAK.

PAO POD MECIMA GUVERNEROVIH VOJNIKA.

AAH!

BANG

SPLASH

AKO SI BIO SI-
GURAN DA NAS
JE HTIO IZDATI,
DOBRO SI UČI-
NIO, MALEK.

TAKO JE,
AZUNA. I VIŠE
NEGO SAM SI-
GURAN.

YUSUF JE BIO
PROTIV POBUNE. DA
BI JE ZAUSTAVIO,
BIO JE SPREMAN
ODATI NAŠE PLA-
NOVE VLASTIMA.

NE RAZUMI-
JEM. I ON JE
BIO ROB KAO
SVI MI.

GOVORIO JE
KAKO SE SLO-
BODA NE OSVA-
JA BORBOM.
BIO JE BR-
BLJAVAC I KU-
KAVICA, KA-
ŽEM TI.

NIJE MU BILO DRAGO
KADA JE OTKRIO DA NAŠA
POBUNA POČINJE PAR DANA
PRIJE PROSLAVE „LAVA-
GEM DO BON-
FIM".

?

REKAO JE DA NIJE U REDU ZAGADITI PROSLAVU NASILJEM I KRVLJU U VRIJEME POSVEĆENOME MIRU I SLOZI.

HMM... YUSUF JE UISTINU BIO BUDALA.

ODABRAO SAM TAJ DATUM ZA POČETAK NAŠEG RATA NE SAMO ZATO ŠTO SU TIJEKOM SLAVLJA VOJNICI OPUŠTENIJI...

...NEGO I ZATO ŠTO JE LAVAGEM PONIŽAVAJUĆI OBRED ZA NAŠ NAROD.

!

„UBUDUĆE CRNE ŽENE NEĆE NIKAD VIŠE PRATI STUBE CRKVE BIJELACA U ZNAK SVOJE PODLOŽNOSTI."

45

BAHIA U KRVI

TEKST: MIGNACCO
CRTEŽ: DELLA MONICA

SAO SALVADOR DE BAHIA DE TODOS OS SANTOS, NEKOLIKO DANA POSLIJE.

TRŽNICA U DONJEM DIJELU GRADA, TAKOZVANOJ PRAYI.

NAPOKON SMO STIGLI! ZAGORE, PRIZNAJEM DA MI JE DRAGO ŠTO SMO U CIVILIZACIJI NAKON TOLIKO DIVLJINE.

DA. OVAJ GRAD JE JEDNA OD NAJVEĆIH LUKA NA KONTINENTU.

NE ČUDI ME DA GA JE DEXTER GREEN ODA-BRAO ZA PRIPREMU EKSPEDICIJE U PO-TRAGU ZA ORUŽJEM ATLANTIDE.

MISLIŠ LI DA JE JOŠ U GRADU?

DA, OVDJE JE. OSJEĆAM TO.

PRODE LI SVE DOBRO KAKO SE NADAM, ZA NEKOLIKO DANA CIJELA ĆE SE OVA STVAR ZAVRŠITI I MIRNO ĆEMO SE VRATITI U NAŠ DARKWOOD.

TO BI BILO SJAJNO.

NO MO-RAMO GA JOŠ NAĆI.

SVA SREĆA, ZNAMO GDJE GA TRAŽITI U SAO SALVADORU.

U PISMU KOJE SMO UHVATILI JASNO PIŠE IME: MANUEL MACHADO MOREIRA, BRAZILSKI POSJEDNIK KOJI U LUCI IMA OBITELJSKU PALAČU S UREDIMA, SKLADIŠTIMA I PRIVATNIM MOLOVIMA.

ONDJE ĆE DEXTER GREEN USPOSTAVITI VEZU S „DRUGDJE". TAMO ĆEMO GA TRAŽITI.

SVIH MI BRKOVA IZ FAMILIJE! NAKON OVOLIKO LUTANJA, PRIBLIŽAVA SE VRIJEME SUSRETA S TIM GADOM.

AKO JE TAJ MACHADO MOREIRA TOLIKO UVAŽEN, DOVOLJNO SE NA ULICI RASPITATI O NJEGOVOJ PALAČI.

NO BOLJE DA SE PRIPREMIMO PRIJE ODLASKA ONAMO. BOJIM SE DA NAS DEXTER NEĆE PRIMITI KAO STARE PRIJATELJE.

SLAŽEM SE. PRIJE NEGO SE BACIMO NAGLAVCE U ONO ŠTO BI MOGLO BITI POSLJEDNJE POGLAVLJE NAŠEG PUTOVANJA, OPUSTIMO SE! UŽIVAJMO MALO U OVOM MJESTU!

KAKO FINO MIRIŠE! KAKAO... KAVA... DUHAN... TROPSKO VOĆE.

SVE PROIZVEDENO U UNUTRAŠNJOSTI BAHIJE. REKLI SU MI DA SE ZOVE RECONCAVO.

A OVO JE PAMUK KOJI DOLAZI IZ UNUTARNJIH REGIJA... SERTAO, AKO SAM DOBRO RAZUMIO NAZIV.

MORAM TI REĆI DA ME GEOGRAFIJA OVE ZEMLJE NE ZANIMA BAŠ U VELIKE DETALJE.

TRENUTNO PROVODIM DRUKČIJU ISTRAGU. NJUŠ... MOŽDA SAM NAŠAO MIRIS KOJI TRAŽIM.

?

BRAŠNO OD TAPIOKE... SUHI RAČIĆI... LJUTI UMAK... A SVE BOGATO ZAČINJENO.

NEMA SUMNJE. OVDJE RADE IZVRSNE PLJESKAVICE OD ACARAJE, SPECIJALITET OVOG KRAJA.

!

49

NEVREROJATNO! ODAKLE JE TO ČUO? PRAVI MISTERIJ.

NO UVJEREN SAM DA NIJE IZMISLIO I SAVRŠENO JE U PRAVU.

BLAGO NJEMU, DOBRE JE VOLJE. OSJEĆAM NAPETOST U OVOM GRADU IAKO SE PRIBLIŽAVA NE ZNAM KAKVA VJERSKA SVEČANOST.

A VOJNE PATROLE NA SVE STRANE POTVRĐUJU MOJ LOŠ PREDOSJEĆAJ.

UOKOLO JE PREVIŠE ZABRINU-TIH LICA, MEĐU CRNCI-MA I MEĐU BIJELCIMA. BOJIM SE DA SMO ODABRALI POGREŠAN TRENUTAK ZA DOLA-ZAK U BAHIJU.

MA U ŠTO TO SVI GLEDAJU?

GROMOVI! PA KAKO...?

VIDIM DA U SAO SALVADORU JOŠ IMA LJUDI S PETLJOM.

IDEM JA. SPREMAJU SE NEVOLJE.

OVO JE NEČUVENO! ŠTO ČEKAJU STRAŽARI!?

NE RAZUMIJEM ZAŠTO JE DOLAZAK ONOG MLADIĆA IZAZVAO TAKVO ČUĐENJE.

SIGURNO STE STRANAC, MLADIĆU.

ESTALAGEM

U BAHIJI IMA MNOGO ROBOVA KOJI POTJEČU S MALIJA. POSLJEDNJIH GODINA ČESTO ORGANIZIRAJU POBUNE, U GRADU I NA PLANTAŽAMA.

ONAJ CRNAC, VJEROJATNO BIVŠI ROB, NOSI ODJEĆU TIPIČNU ZA AFRIČKE KRAJEVE IZ KOJIH POTJEČE. VLASTI SU JE ZABRANILE JER JE SIMBOL POBUNE.

SVE MI JE TO GLUPO.

NE ODOBRAVAM DA IKOME ODUZMU SLOBODU I ODVEDU GA NA RAD U DALEKE ZEMLJE... ALI, DA JOŠ ZABRANE TIM LJUDIMA DA NOSE SVOJU TRADICIONALNU ODJEĆU, TO MI STVARNO IZGLEDA PREVIŠE.

MISLITE ŠTO HOĆETE, ALI GUVERNEROVI STRAŽARI UPRAVO SE SPREMAJU U AKCIJU.

HEJ, TI! KAMO SI KRENUO TAKO UREĐEN?

!

JA SAM SLOBODAN ČOVJEK. IDEM KAMO HOĆU.

STVARNO? A NE ZNAŠ DA JE GUVERNER ZABRANIO NOSITI AFRIČKE PRNJE?

IDEŠ SAD S NAMA U ZAPOVJENDIŠTVO POLICIJE, CRNJO.

NE. PONOSIM SE NOSITI AGBADU SVOG NARODA. NEĆU SLUŠATI ONE KOJI NOSE ODORU UBOJICA MOG BRATA.

STRGNITE TU TUNIKU S NJEGA!

SLUŠAJTE, NARODE BAHIJE! JA SAM KALEB CONSEILHERO, YUSUFOV BRAT.

UBILI SU GA GUVERNEROVI VOJNICI JER JE HTIO ŽIVJETI SLOBODAN.

SWI...ISS

SWI...ISS

STRAAP!

TUMP

OLICH!

KNOCK

SKALPOVA MU! SAD JE DOSTA!

SVIH MI NAPITAKA MOG DJEDA APOTEKARA! STVARI SE KOMPLICIRAJU.

!

RUKE UVIS!

NE MOŽEŠ NEKAŽNJENO UDA-RITI VOJNIKA BRAZILSKE IMPERIJALNE VOJSKE.

HEHEHE! SAD ĆE TVOJ BIJELI PRIJATELJ DOBITI ŠTO ZASLUŽUJE.

!

I TI ĆEŠ!

AAH!

THUD

KONAČ-
NO!

NIJE BILO
LAKO, GOS-
PODINE

OVAJ ZNA KAKO
SE BORI.

GDJE JE BJE-
GUNAC?

NESTAO.
POZNAJE ULI-
ČICE DONJEG
GRADA BOLJE
OD NAS.

NJEGOV PRIJA-
TELJ KO-
JEG SMO
UPRAVO OBO-
RILI IMAO JE
JOŠ JEDNOG
KOMPANJONA
BIJELE KOŽE.
TAJ JE PO-
ČEO VIKATI
KAD SMO
STIGLI.

KAMO JE
NESTAO?

60

ZABRINUT SAM ZA ZAGORA. ŠTO ĆE MU UČINITI?

TVOJ PRIJATELJ JE BIJELAC. NE RISKIRA KONOPAC, NI BIČ. DRŽAT ĆE GA IZA REŠETAKA DOK SE STANJE NE SMIRI.

NA ŽALOST, KAKVE SU OKOLNOSTI OVIH DANA, TO BI MOGLO I POTRAJATI.

!

TI ĆEŠ DOTLE OVDJE BITI SIGURAN. OVDJE ŽIVE NEKE MOJE PRIJATELJICE KOJE SU, IZMEĐU OSTALOGA, IZVRSNE KUHARICE.

ZAPHIRA! IMAM GOSTA ZA TEBE.

UĐI, MINHA! NE ZNAM TKO JE OVAJ GOSPODIN, ALI DOBRODOŠAO JE U MOJU KUĆU.

!

DRAGO MI JE, GOS-PODO ZAPHIRA. JA SAM FELIPE CAYETANO LOPEZ MARTINEZ Y GONZALES, NO ZOVITE ME CHICO!

HMM... NISI BRA-ZILAC. ŠTO TE DOVODI U BA-HIJU?

TO JE DUGA PRIČA. MOJ PRI-JATELJ ZAGOR I JA DOŠLI SMO OVAMO SA SJEVERA AMERIKE TRAGOM JEDNOG OPASNOG GADA...

...KOJI JE PRO-NAŠAO ZAKLON U PALAČI MANUELA MACHADA MO-REIRE.

ZNAM GDJE JE TA PALAČA. ALI NE VIDIM TVOG PRIJATELJA.

UPAO JE U NE-VOLJE S POLICI-JOM. ZATO SE CHICO MORA SKRIVATI NEKO VRIJEME.

SVE ĆEŠ MI ISPRIČATI NA MIRU, MINHA, DOK PRIPREMIMO NEŠTO DA NAHRANIMO NAŠEG NOVOG PRIJATELJA.

CARAMBA I CARAMBITA! LJUDI SU STVARNO GO-STOLJUBIVI U BAHIJI DE TODOS OS SANTOS.

ISTODOBNO, U DONJEM GRADU.

NEVJEROJATNO! NAKON TOLIKO GODINA, NIŠTA SE NISI PROMIJENIO.

DEXTER GREEN! JEDINI ČOVJEK NA SVIJETU SPREMAN PRIJEĆI DESET PLANINA I PROVESTI TJEDAN U PUSTINJI SAMO ZATO DA BI BACIO POGLED NA STARO KAMENJE.

NI TI SE NISI PROMIJE. NIO, MANUEL MACHADO MO. REIRA.

IMAŠ ISTI OPAKI JEZIK KAO U VRIJEME KAD SI DOLAZIO U KLUB GLOBE-TROTTERA U LONDONU.

HAHA! VARAŠ SE. ZA MENE SE PUNO TOGA PROMIJENILO OD VREMENA DOK SAM MOGAO LUTATI SVIJETOM U DRUŠTVU BESPOSLENIH PUSTOLOVA KAO ŠTO SI TI.

MOJ STARI OTAC JE UMRO, NEKA GA BOG PRIMI, I MORAO SAM PREUZETI OBITELJSKE POSLOVE.

A TI POSLOVI, ČINI SE, DOBRO IDU. MALO SAM SE RASPITAO: MACHADO MOREIRA JE JEDAN OD NAJVEĆIH TRGOVACA I POSJEDNIKA NA JUŽNOM ATLANTIKU.

DA. A ZNAŠ LI ŠTO TO ZNAČI, DEXTER? HRPU GNJAVAŽE, ETO ŠTO!

NO, NARAVNO, BIT ĆE MI ZADOVOLJSTVO PO-MOĆI TI DA ORGANIZIRAŠ PUTOVANJE, U IME STARIH VREMENA.

KLADIM SE DA BI RADO POŠAO S NAMA.

DA, RADO. ALI TKO BI ONDA VODIO POSAO U BAHIJI? A NE ZNAM NI KAMO IDEŠ NI ŠTO RADIŠ.

RAZLOG MOJIH PUTOVANJA JE UVI-JEK ISTI: BACITI POGLED NA STARO KAMENJE.

SVE ĆEŠ MI ISPRIČATI ZA VEČEROM. SAD MORAM U LUKU PRATITI ISKRCAJ TERETNJAKA. IDEŠ SA MNOM?

SA ZADOVOLJSTVOM. DOĐI, YAMBO!

EVO ME, BWANA.

PA MORA LI TE BAŠ TAJ TVOJ ROB SVUDA PRATITI? U MOJOJ SI KUĆI SIGURAN. NE TREBA TI ČUVAR.

?!

NA KRIVOM SI PUTU, MANUEL. YAMBO NIJE MOJ ROB. SLOBODAN JE I SVOJOM VOLJOM ME PRATI U PUSTOLOVINAMA.

JE LI TAKO, YAMBO?

ČINIM TO ZATO ŠTO BI BEZ MENE IZGUBIO GLAVU, BWANA.

HA! VIŠE PUTA SAM JA SPASIO TVOJU CRNU GLAVU.

HMM... SHVAĆAM. ZABORAVIO SAM DA SI ENGLEZ I DA SE VI PROTIVITE ROPSTVU.

NADAM SE DA NISI DOŠAO OVAMO ŠIRITI PROPAGANDU. IMAM MNOGO ROBOVA I NE BI MI BILO DRAGO DA UTUVE ŠTOGOD POGREŠNO U GLAVU.

JA SAM ISTRAŽIVAČ. NE ZANIMA ME POLITIKA.

ZANIMA ME SAMO KAKO PRIPREMITI SVOJE PUTOVANJE. A TI SI U TOME IDEALNA POMOĆ.

I BOLJE. OVO SU TEŠKI DANI KOD NAS.

U GRADU VLADA ČUDAN UGOĐAJ. OSJEĆA SE ŽAR POBUNE MEĐU CRNJAMA, NO NIŠTA ŠTO NAŠA POLICIJA NE BI MOGLA DRŽATI POD NADZOROM.

NO U OVAKVIM VREMENIMA DOVOLJNA JE ISKRA DA IZAZOVE POŽAR.

DOBAR DAN, SENOR MACHADO.

NEŠTO NIJE U REDU, FERNANDO?

TERET S ESMERALDE DAJE NAM VIŠE POSLA NEGO SMO PREDVIDJELI. SPREMLJEN JE U PREVELIKIM SANDUCIMA.

JOŠ UVIJEK ISKRCAVAMO PRVI BROD. DRUGI ČEKA.

DOVRAGA! NESPOSOBNE LIJENČINE!

IAKO TVOJA OBITELJ RADI ZA MOJU VEĆ TRI GENERACIJE, ZA TAKVE POPUT VAS VRIJEDI SAMO BIČ. DOĐI, DEXTERE!

?

!

TVOJ PRIJATELJ BI ZASLUŽIO BIČ, BWANA.

OSTANI MIRAN, YAMBO!

NAS ZANIMA EKSPEDICIJA. NE MOŽEMO SE UPLETATI U LOKALNE PROBLEME.

OSIM TOGA, MANUEL MACHADO NIJE LOŠ KAKO IZGLEDA. JEDNOSTAVNO SE VOLI PRIKAZIVATI TVRDIM.

UPOZNAO SI GA DAVNO, BWANA, DOK JE BIO LUTAJUĆI PUSTOLOV.

NO VRIJEME I NOVAC MIJENJAJU LJUDE.

NE BRINITE SE, GOSPODINE. ZAVRŠIT ĆEMO NA VRIJEME.

POVJERIO SAM POSAO NAJBOLJIMA. VIDITE, ONO JE MOJ SIN FRANCISCO.

NE ZANIMA ME JE LI TI ROĐAK ILI ŽENA. HOĆU DA PRIJE VEČERI SVA ROBA BUDE VANI.

POMAKNITE SE! ŠTO STOJITE? OD-NESITE TIJELO I NASTAVITE POSAO! NEMAMO VREMENA.

?!

ČEKAJ, YAMBO!

!

NASTAVITE S POSLOM, BRA-ČO! JA ĆU SE POBRINUTI ZA SVOG SINA.

!

!?

?

OVO JE GRAD PUN PAT-
NJE, YAMBO, ALI NAS TO
NE TREBA BRINUTI.

!

BAHIA JE SAMO ETAPA NA NAŠEM
PUTOVANJU. A NAŠ KONAČNI CILJ
JE MNOGO VAŽNIJI.

DOTLE...

OOH...

DOLAZI K SEBI.

IMA TVRDU KOŽU ZA BIJELCA.

DA... KAKO SU GA MAKAKI NALUPALI, TREBAO JE SPAVATI DO SUTRA.

UH....'

DOBRO NAM DOŠAO, STRANČE, U GRADSKU VIJEČNICU SALVADORA DE BAHIJE.

BOLJE REĆI U NJEZINE PODRUME... U NAJVAŽNIJI ZATVOR U GRADU.

PA... BOLJE SE PROBUDITI U ĆELIJI NEGO NA DRUGOM SVIJETU.

NIJE JOŠ REČENO. STRAŽARI KAŽU DA SI POMOGAO CRNOM BRATU DA POBJEGNE.

ALI, JA MISLIM DA JE TO LAŽ. MAKAKI SU TE POSLALI OVAMO DA NAS ŠPIJUNIRAŠ.

!

SMIRI SE, PEDRO. PACIFICO JE REKAO DA ŽELI RAZGOVARATI S NJIM.

TKO JE TAJ PACIFICO?

PACIFICO LUZON, NAŠ VOĐA. BIJELCI SU GA STRPALI U ZATVOR POD OPTUŽBOM DA JE ORGANIZIRAO POBUNE U BAHIJI.

ZAPRAVO SE NE BOJE ORUŽJA NEGO NJEGOVIH RIJEČI.

A ŠTO TO TAKO ZASTRAŠUJUĆE GOVORI VAŠ VOĐA?

DA SU LJUDI JEDNAKI BEZ OBZIRA NA BOJU KOŽE... I DA SU ROĐENI SLOBODNI.

!

ŠTO TI MISLIŠ, STRANČE?

POTPUNO SE SLAŽEM S TOBOM. STRAŽARI SU ME I STAVILI U ZATVOR ZATO ŠTO SAM SE VODIO TIM SVOJIM UVJERENJEM. TI SI PACIFICO LUZON?

75

DA. A KAKO SE TI ZOVEŠ, STRANČE? I ODAKLE SI?

ZOVEM SE ZAGOR I DOLAZIM IZ ŠUMA NA SJEVERU AME-RIKE.

ZAGOR? NE ZVUČI EN-GLESKI.

TO IME PO-TJEČE OD JEZIKA INDIJANACA IZ DARKWO-ODA GDJE ŽIVIM. PONO-SIM SE PRIJATELJSTVOM SA CRVENOKOŠ-CIMA.

HVALA TI NA TOME ŠTO SI UČINIO, ZAGORE. BIJELAC KOJI SE BORI ZA SLOBODU CRNACA ZASLUŽUJE NAŠE POŠTOVANJE.

SAMO SAM SLIJEDIO SVOJ NAGON I TO JE SVE. NEKE STVARI MI UZBURKAJU KRV U ŽILAMA.

NO SRETAN SAM ŠTO NE VIDIM OVDJE SVOG PRIJATELJA MEKSIKANCA. ON JE SUZDRŽLJIVIJI OD MENE. USPIO JE OSTATI IZVAN ZATVORA.

NEĆEŠ OVDJE OSTATI DUGO. A KAD IZAĐEŠ, ONO VRIJEME ŠTO GA PROVEDEŠ U BAHIJI, NASTOJ BITI MANJE NAGAO!

NEMOJ SE MIJEŠATI U SVAĐE IZMEĐU CRNACA I BIJELACA JER SPREMA SE VELIKA OLUJA.

!

ŠTO ŽELIŠ REĆI? SLIJEDI NOVA POBUNA?

ODAKLE JA ZNAM? GODINAMA SAM IZA REŠETA-KA. IMAM SAMO SLUTNJE. BUDI OPREZAN!

SALVADOR DE BAHIA JE BAČVA BA-RUTA KOJA MOŽE SVAKOG TRENA EKSPLODIRATI. A EKSPLOZIJA NE ČINI RAZLIKU IZMEĐU PRIJATELJA I NEPRIJATELJA.

ISTODOBNO...

ZNAŠ LI TKO JE BI-JELAC KOJI MI JE POMO-GAO?

NE BRINI SE ZA NJEGA, KALEB CON-SEILHERO.

ONO ŠTO SI UČINIO U PRAVI BILA JE VELIKA GLUPOST. BUDALAŠTINA BEZ NEKE VELIKE KORISTI.

SAMO SI NAVUKAO VOJSKU NA SVE CRNCE.

JA... MORAO SAM UČINITI NE-ŠTO, MALEK.

NISAM MOGAO DRUKČIJE. NE NAKON ŠTO SU PROKLETNICI UBI-LI MOG BRATA YUSUFA.

!

ISTINA, MAKAKI KOJI SU UBILI TVOG BRATA ZA- SLUŽUJU KAZNU.

ALI NAJBOLJI NAČIN ZA TO NIJE IZAZIVATI IH HO- DANJEM U AGBADI.

DOBRO, MALEK. MOGU JA UČINITI I NEŠTO BOLJE, UZ TVOJU POMOĆ.

ŽELIM SE PRIDRUŽITI POBU- NJENICIMA. ZNAM DA SI U VEZI S AZUNOM, VELIKIM RAT- NIM VOĐOM YORUBA, KOJI SE SKRIVA U RECONCAVI.

HMM... NIJE TAKO LAKO PO- STIĆI DA TE PRIME MEĐU BORCE ZA SLOBODU, MOMČE.

DOBAR SI, ALI NIKAD TE NISAM VIDIO S ORUŽJEM U RUCI. KLA- DIM SE DA GA NE ZNAŠ NI KORISTITI.

NAUČIT ĆU.

OSIM TOGA, ČUO SAM DA SI PROTIV RATA... BAŠ KAO I TVOJ JADNI BRAT.

?

N-NE... NIJE ISTINA. OD-NOSNO PREDOMISLIO SAM SE. SVE DO PRIJE NEKOLIKO DANA, RAZMI-ŠLJAO SAM KAO YUSUF. BIO SAM UVJEREN DA NASILJE RAĐA SAMO NOVO NASILJE.

UVIJEK SAM ODBIJAO KORISTI-TI SE ORUŽJEM. NO TADA SU VOJNICI UBILI MOG BRATA...

TADA SAM SHVATIO DA SAM POGRIJEŠIO. NA KRV VALJA UZVRATITI KRVLJU. ŽELIM SE BORITI PROTIV ONIH KOJI MUČE MOJ NAROD.

HOĆEŠ LI MI POMOĆI, MALEK?

HMM... RAZMI-ŠLJAM, MOM-ČE.

PA DOBRO, UVJE-RIO SI ME. DAT ĆU TI PRILIKU DA OSVETIŠ BRATA. VRATI SE OVAMO U NOĆI, DVA SA-TA PRIJE ALVO-RADE. (*)

(*)
PJESMA UZ KOJU SE ROBOVI BUDE I ODLAZE PO VODU.

BIT ĆU OVDJE, MA-LEK.

NIKOME NE SMIJEŠ REĆI ZA NAŠ SASTANAK. A SAD SE VRATI U SVOJE SKROVI-ŠTE I BUDI MIRAN!

NEMOJ DA TE UHVATE VOJNICI! TRAŽE TE PO CI-JELOM GRADU.

NE BRINI SE!

ZAŠTO SI MU RE-KAO? MO-GAO BI SE ODATI.

NE VJERU-JEM. KALEB GORI OD ŽELJE ZA BORBOM. A I PAMETAN JE.

I SAM ĆE SHVATITI DA ĆE S PJESMOM ALVORADE OTPO-ČETI VELIKA POBUNA KOJU SVI ČEKAJU. TO JE RAZLOG VIŠE DA DRŽI JEZIK ZA ZUBIMA.

NO NAJVAŽNIJE... NISAM ODOLIO ISKU-ŠENJU DA NA NAŠU STRANU DOVUČEM BRATA GADA KOJEGA SMO MI UBILI.

HEHEHE!

PRAVI SI DE-MON, MALEK.

DRUGDJE.

TKO ZNA ŠTO ZAGOR SADA RADI...

NE MISLI NA TO, CHICO! KAKO MI JE REKLA MINHA, ON SE ZNA BRINUTI ZA SEBE. OPUSTI SE I DOBRO NAJEDI!

OVO JE BRUDET OD RIBE UHVAĆENE U MO-RU BAHIJE, ZALIVEN POSEBNIM ULJEM I ZAČINJEN LUKOM, ČEŠNJAKOM, RAJČICAMA, PA-PRIKAMA, LJUTIM PAPRIČICA-MA I KORIJANDOLOM.

CARAMBA I CARAMBITA!

IZVRSTAN JE, ZAPHI-RA, TI SI ČAROBNI-CA.

HEHE! HVALA, MEK-SIKANČE.

NO TO JE ISTINA. ZAPHIRA JE VELIKA IALORIXA, A MI SMO NJEZINE KĆERI.

A SAD NAS ISPRIČAJ, CHICO. JA I GAROTAS (*) IMAMO POSLA U KUHINJI.

(*) GAROTAS: PORTUGALSKI, DJEVOJKE.

82

NE SMETAJ NAS BAREM JEDAN SAT! U REDU?

SVAKAKO. CIJENIM VAŠ POSAO. OSIM TOGA, IDUĆIH SAT VREMENA BIT ĆU PRILIČNO ZAPOSLEN.

No CHICOVA JE VEČERA TRAJALA KRAĆE.

GNAM

SLURP

ODLIČNO, ALI MORAM PRIZNATI DA I DALJE IMAM RUPU U ŽELUCU.

TKO ZNA KAKVE JOŠ POSLASTICE PRIPREMAJU ZA MENE MOJE LJUBAZNE GAZDARICE. OBEĆAO SAM DA NEĆU SMETATI, ALI...

...NEMA NIŠTA LOŠE U TOME DA PROVIRIM U KUHINJU.

EVO IH! ORIXAS SU OVDJE.

ŠTO TO RADE? KUHAJU U MRAKU?

ZAZIVAM OMOLUA DA UDALJI BOL I YANSU DA VODI OLUJU KOJA DOLAZI...

NUDIM IM OVAJ DAR!

COCOOOOOT

ZACK

DOBRO JE. NAKON RIBE, PRIPREMAJU MI KOKOŠ.

PLICK PLICK PLICK

ŠTO JE TO?

CHICO?

PRISLUŠKIVAO NAS JE.

DA. A REKLA SAM MU DA NE DOLAZI.

SAD SE MORAMO POBRINUTI ZA NJEGA. ODNESIMO GA TAMO!

NA GRAD JE PALA NOĆ...

...NO U PODRUMIMA VIJEĆNICE NE VIDI SE RAZLIKA.

TLACK

TLACK

TI! OVA-MO!

ZOVEM SE ZAGOR, NA-REDNIČE.

DRAGO MI JE ZNATI. PRUŽI RUKE! VODIMO TE ODAVDE.

IMAŠ BIJELU KOŽU PA NAŠ ZAPOVJEDNIK KAŽE DA TE NE MOŽEMO DRŽATI U ZA-TVORU BEZ SUĐENJA.

SAD IDEŠ U ĆELIJU VOJ-NOG ZATVORA. SUTRA TE ČEKA SUĐENJE.

MIČI SE!

NADAM SE DA ĆEMO SE OPET BRZO VIDJE-TI... I DUGO OSTATI ZA-JEDNO! HAHAHA!

NE VJERUJEM DA ĆE SUDAC BITI BLAG PRE-MA TEBI.

„NIJE BLAG PREMA ODMETNICIMA."

TCIACK

89

OTVOR JE PRILIČNO VELIK I MOGAO BIH GA PROBITI DA SU MI RUKE SLOBODNE.

OKOVI SU PREVIŠE ČVRSTI. NE MOGU SE OSLOBODITI.

RUUMMM...

PREPOZNAO SAM TI GLAS.

I STVARNO SAM IZNENAĐEN ŠTO TE VIDIM OVDJE.

SVIJET JE MALEN, STARI MOJ.

TUMP

OSTAVIO SAM TE U ZEMLJI SLOBODE...

...A NAŠAO TE IZA REŠETAKA.

DA... ALI BILI SMO NA DRUGOM KONTINENTU.

(✱) VIDI U ORIGINALU ZAGOR 425.

NASTAVLJA SE

NASLOV IDUĆEG BROJA:

VJETAR POBUNE